KB075677

맞아 나, 정신병자

**맞아 나, 정신병자**

**발 행** | 2023년 11월 30일
**저 자** | 한상희
**펴낸이** | 한건희
**펴낸곳** | 주식회사 부크크
**출판사등록** | 2014.07.15.(제2014-16호)
**주 소** | 서울특별시 금천구 가산디지털1로 119 SK트윈타워 A동 305호
**전 화** | 1670-8316
**이메일** | info@bookk.co.kr

ISBN | 979-11-410-5614-8

www.bookk.co.kr

# 맞아 나,
# 정신병자

한상희 지음

# 공황 장애, 그리고 나

## 공황 장애의 시작

그 날의 기억은 아직도 생생하다. 3년 전, 외부 상황으로 인한 심한 압박과 스트레스가 극도로 심해지던 어느 날, 가슴 답답함과 함께 얼굴에 열이 오르더니, TV에서 연예인들이 말하던 그 "공황 장애"가 내게도 찾아왔다. 얼굴에 열이 심하게 오른 그날 밤, 자려고 침대에 누웠을 때 심장이 고장 난 것처럼 심한 두근거림과 통증, 그리고 호흡 곤란으로 잠들지도 못하고 안절부절 못했다. 직감적으로 이것이 공황 장애라는 걸 느낀 나는 밤을 꼬박 새우고 병원 문이 여는 시간만 기다리며 괴로운 증상을 온몸으로 받아냈다. 모든 공황인 들이 말하는 '정말 죽을 것 같다'라는 마음으로 택시를 타고 병원으로 향했던 그날, 그렇게 나는 공황 장애라는 진단을 받고 공황인이 되었다.

## 공황 장애의 전조 증상

사실 공황 장애가 터지기 1년여 전부터 집에 있으면 공기가 모자란 듯한 답답함을 수시로 느꼈다. 그럴 때면 몇 번이나 창문 밖에 얼굴을 내밀고 호흡을 가다듬어야 했고, 그렇게 해도 컨트롤이 안 될 때는 밖으로 나가 공기를 마셔야 했다. 또 그래도 안 되면 당시 편의점에서 팔았던 '슬로우00'라는 음료를 차 안에서 3캔을 연이어 들이키며 창문을 열고 계속해서 호흡을 가다듬었다.

이때까지만 해도 그 고비만 넘기면 또 일상생활이 가능했기에 스트레스 때문이겠거니 하고 대수롭지 않게 넘기며 지냈다. 약을 처방 받고 다행히 약의 도움으로 다시 일상을 되찾은 나는 어떻게든 이 병을 이겨내 보려 최대한 규칙적으로 일상을 살면서 더 노력했다. 그리고 주변에 이미 공황 장애를 겪고 있는 지인들에게 조언과 응원을 받으며 공황인으로서의 삶을 살아내기 시작했다.

# 내 발로 들어간 개방 정신 병원

## 호전과 재발

규칙적인 생활과 약물 치료로 호전되어가던 나는 조금씩 약을 줄여나가면서 단약이라는 것까지 기대하며 하루하루를 보내고 있었다. 하지만 인생은 내 마음대로 움직여주지 않았고, 2021년부터 개인적인 이슈와 외부적인 스트레스 등으로 이전까지의 증상들 하고는 비교도 안 될 극심한 증상들이 나타나기 시작했다. 재작년 2020년 10월에 발병한 공황 장애가 몇 달 전부터 극심해져서 매우 힘든 시간을 보냈다. 거의 날마다 변기를 잡고 구역질과 구토를 해야 했고, 잠도 잘 수 없는 숨 막힘과 각종 증상으로 온몸의 체력은 바닥을 쳤다. 설상가상으로 이석증, 신우신염, 탈수, 몸살, 장염 등

*온갖 잡병들이 내 몸을 더욱 피폐하게 만들었다.*

## 우울증의 발병

그간 많은 일들이 있었고, 결국 해서는 안 될 선택까지
하며 우울증까지 더해졌다. 그래도 이겨내 보리라 아등
바등 애를 써봤지만, 약을 먹어도 증상이 가라앉지 않
았다. 혼자 힘으로는 안 되겠다고 판단되어 가족과 의
논 후 자진해서 정신과 개방 병동으로의 입원을 결정
했다.

## 개인사에 대한 이야기

이 책에 나의 개인사를 쓰지 않는 이유는 의도와 상관 없이 누군가를 가해자로 만들며 나를 피해자로 만들고 싶지 않아서이다. 내가 이 책을 쓰는 이유는 그간 나의 어려움을 호소하려는 것이 아니라 세상에는 다양한 삶 이 있고 내가 모르는 고통이 헤아릴 수 없을 만큼 많 으니 누군가를 함부로 판단하거나 적어도 타인의 고통 에 또 다른 고통을 얹지 않길 바라는 마음 때문이다. 그리고 깊이 들여다보지 않았을 뿐 누구에게나 같지만 다른, 다르지만 같은 삶의 무게가 존재한다는 걸 말하 고 싶어서이다.

## 개방 정신병원 입원

결국 나는 다시 공황 발작을 경험했고, 두려움과 무기력함에 빠져들었다. 더 이상 혼자 이겨내지 못하겠다고 느낀 나는 내게 맞는 약을 찾기 위해 개방 정신 병원에 입원하기로 결심했다.


만약 공황 장애를 겪고 있는 분들이 있다면, 먼저 이 이야기를 꼭 해드리고 싶다.

*내 힘과 의지로 이겨내겠노라 마음대로 약을 먹지 않거나 끊지 말 것!*

*약에 대해 너무 두려워하지 말 것!*
*그리고 반드시 좋아질 수 있다는 것!*

# 공황 장애 자가 체크 리스트

다음 문항 중 **4개 이상**에 해당하면 공황 장애를 의심해 볼 수 있습니다.

1. 갑자기 뚜렷한 이유 없이 심한 공포나 불안을 느꼈다.
2. 심장 두근거림, 땀, 떨림, 호흡 곤란, 흉통, 메스꺼움, 현기증, 어지러움, 의식 혼미 또는 죽을 것 같은 느낌과 같은 신체적 증상을 경험했다.
3. 공황 발작이 10분 이내에 최고조에 달하고, 20분 이상 지속되었다.
4. 공황 발작이 갑자기 시작되었다.
5. 특정 상황,장소,사람과 관련해서 공황발작이 온다.
6. 발작이 다시 일어날까 봐 두렵거나, 공황 발작을 피하기 위해 행동을 제한한다.

*위의 내용은 참고용이므로 전문가와의 상담을 권합니다.

# 공황 장애를 극복하기 위한 생활 습관

공황 장애를 극복하기 위해서는 아래와 같은 생활 습관을 유지하는 것이 도움이 됩니다.

1. 규칙적인 생활을 유지하고, 충분한 수면을 취합니다.
2. 스트레스를 관리하고, 건강한 방법으로 스트레스를 해소합니다.
3. 긍정적인 사고를 가지려고 노력합니다.
4. 공황 장애 환자의 모임이나 온라인 커뮤니티에 참여하여 정보를 공유하고, 다른 환자들과 소통합니다.

공황 장애는 누구에게나 찾아올 수 있는 질환입니다. 치료와 노력을 통해 반드시 호전될 수 있습니다.

# 목차 : 병원에서 만난 너의 이야기

## 개방 정신 병원의 입원 첫날

첫째 날은 각종 상담과 진료로 하루가 금세 지나갔다. 조금의 선입견을 가지고 들어온 이곳은 생각보다 밝고 활기찼다. '어? 지금까지 가 본 병원 중에 제일 에너지가 넘치는데?'라는 생각을 하며 의아함과 신기함으로 하루를 보냈다. 그리고 2일차에 일어난 한 사건으로 '아, 여기 정신병동이었지.'라고 깨달았다.

## 1. 어깨에 큰 인형을 업고 다니는 24살 의대생

난 대체적으로 혼자 병실에서 시간을 보내거나 간단한 운동을 할 때만 대기실을 이용하고 그 대기실에는 탁구대와 운동용 자전거 그리고 담소를 나누거나 그림을 그릴 수 있는 테이블이 자리 잡고 있다.

자리가 없어 2인실을 사용 중인 나의 병실 메이트는 24살 의대생인데 조울증과 공황으로 입원을 하게 되었다고 한다. 한없이 밝고 예쁜 그 친구는 쉼 없이 공부만 하며 달려왔는데 그런 삶을 후회한다면서 애써 밝게 웃어 보이며 말한다.

*"저는 대체 왜 이럴까요…"*

어깨에 귀여운 인형을 업고 다니던 밝고 귀여운 모습 뒤에 자책과 깊은 한숨이 서려 있는 한마디가 마음에 맴돈다.

## 2. 여중생을 울린 분노 조절 장애 군인

이곳은 쉬는 시간이 대부분인지라 각자가 나름의 방법으로 시간을 보낸다. 대학생이 고등학생의 수학 과외를 해주기도 하고 서로 탁구를 가르쳐 주기도 하면서 마치 오래전부터 알던 사이들처럼 무리 지어 다니기에 병원이라기보단 학교 같은 느낌이 강했다. 지난밤 내가 자전거를 타며 운동을 하고 있을 때였다. 늘 화기애애할 것만 같던 이곳에서 작은 언쟁이 벌어졌다. 20대 남자 한 분과 여자 두 분이 사소한 일로 말다툼을 하고 있었고 난 상황 파악을 한 뒤에 그들을 분리시켰다.

16살의 극심한 우울증 환자인 여학생은 남자분의 직설적이고 강한 어투에 상처를 받았는지 내내 울기만 했다. 남성은 한 여성분과 침착하게 대화를 하는가 싶더니 많은 사람들이 본인을 탓한다고 생각했는지 순간 유리 같은 물건(실제 유리는 아니었다.)을 있는 힘껏 바닥에 집어 던졌다. 힘이 어찌나 센지 그 소리에 모두 놀라 도망가고(무슨 깡인지 난 놀라지도 않고 타던 자전거를 마저 탔다.) 한바탕 난리가 났다. 환자분들은 방으로 돌아갔고 나는 간호사분들을 도와 파편을 정리한 뒤 방으로 돌아왔다.

3

결국 그 남성분은 폐쇄 병동으로 이동되었고 다시 대기실에는 평화가 찾아온 듯 보였다. 그리고 오늘 아침 식사 시간에만 잠시 폐쇄 병동 사람들과 마주칠 수 있었는데 그때 남성분이 사람들에게 사과를 하며 이제 일은 잊어달라고 미안하다고 한다.

'마음 한켠이 씁쓸해졌다'

*무엇이 그를 그리 분노하게 했을까…?*

아무쪼록 잘 치료 받아 호전되길 바라 본다.

# 분노 조절 장애 자가 진단법

다음 문항 중 5개 이상에 해당하면 분노 조절 장애를 의심해 볼 수 있습니다.

1. 사소한 일에도 쉽게 화를 낸다.
2. 화를 내고 난 후 후회한다.
3. 화를 참지 못하고 폭력을 행사한다.
4. 물건을 부수거나 던진다.
5. 자살 충동을 느낀다.
6. 화가 나면 심장 박동이 빨라지고, 숨이 가빠진다.
7. 화가 나면 손이 떨리거나, 근육이 긴장된다.
8. 화가 나면 말을 빨리 하거나, 목소리가 커진다.
9. 화가 나면 주변 사람들을 공격하거나, 비난하는 말을 한다.
10. 화가 나면 도망가거나, 혼자 있는 시간을 갖는다.

분노 조절 장애 자가 진단은 전문가의 진단을 대체할 수 없으므로, 분노 조절 장애가 의심된다면 정신건강의학과 전문의를 방문하여 진료를 받는 것이 좋습니다.

분노 조절 장애가 의심되는 경우 다음과 같은 행동을
피하는 것이 좋습니다.

- 술이나 약물의 과다 섭취
- 흡연
- 카페인 섭취
- 과식
- 수면 부족
- 스트레스

분노 조절 장애는 치료가 가능한 질환입니다. 치료를
통해 분노를 조절하는 능력을 향상 시킬 수 있고, 일상
생활에서 분노로 인한 문제를 줄일 수 있습니다.

## 3. 꺄르르 춤추는 여고생들

병원에서의 하루는 새벽 5시 30분부터 시작된다. 아침 식사가 7시 30분이라 더 자도 되지만 분위기상 깊은 잠에 들기는 어렵다. 보통 밤 9시에 수면제와 함께 약을 복용하기 때문에 다들 일찍 잠에 드는 편인데 난 아직 약이 맞지 않는지 새벽 내내 뒤척인다.

3일차에는 이곳에 있는 환자들에 대한 궁금증에 슬금슬금 대기실로 나가서 말도 걸어보고 과자도 나눠주며 나름 가까워지려 해 봤으나 그전에 거의 병실에만 있었던 데다 나이 차이가 적잖게 있어서인지 쉽게 친해지긴 어려웠다. 이건 시간이 지나면 자연스레 해결되겠거니 하고 대기실에서 운동을 하는데 어린 여자 친구 두 명이 아이돌 댄스를 추며 까르륵거린다.

그 모습이 귀여워서 "아 너무 귀엽다." 하고 나름의 리액션을 취해봤지만 아이들은 쑥스러운지 추던 춤을 멈추고 쭈뼛쭈뼛 자리를 옮긴다.

운동을 마치고 마침 내 병메(병실 메이트)가 이곳 마당발이라 병실에서 이것저것 궁금한 것들을 물어봤다.

"지금 여기 있는 분들은 보통 어떤 병명으로 온 거야?"

"보통은 조울증(양극성 장애)이나 학폭 피해자, 군대에서의 자살 행위로 온 우울증 군인들, 분노 장애,망상 장애, 치매 등이 많은 것 같아요."

각각의 사연으로 왔을 환자분들의 이야기가 궁금해졌다. 이곳에 있는 동안 천천히 그들의 이야기를 들어보고 싶다. 대기실에서 이 글을 쓰고 있는데 여기저기서 들리는 소녀들의 까르륵 소리에 기분이 좋아진다.

서로 애틋한지 두 손을 잡고 복도를 거닐며 운동을 하는 모습도 보기 좋다. 서로를 누구보다 이해하는 이 친구들은 가끔 다시 밖으로 나가는 것에 대한 두려움도 내비치지만 이곳에서만큼은 편안해 보이니 다행이다.

# 4. 18살 훈남 엄친아 고등학생

이곳에서는 자해나 자살 행위의 위험이 있는 물건은 철저히 반입이 금지다. 당연히 충전기도 반입이 안 되어서 공용으로 사용하는데 앉아서 충전을 기다리다 60대의 여성 환자분과 자연스럽게 대화를 하게 되었다. 불안 장애로 병원에 입원하고 내일이 퇴원이라는 그분은 스스로 많이 호전되셨다고 안도하셨다. 대화가 끊길 때쯤 나는 "저 탁구 좀 가르쳐 주시면 안 돼요?" 하고 여쭤봤고 흔쾌히 탁구를 가르쳐 주셨다.

내가 탁구하는 걸 처음 본 다른 환자들은 모두 집중해서 보기 시작했고 병동에서 탁구를 제일 잘 치는 18살 남학생이 가르쳐주겠다며 개인 레슨을 해줬다. "제가 가르쳐 드렸던 분들 중에 제일 잘하세요." 하며 칭찬 세례를 해주는 착한 학생의 말에 어깨가 으쓱해져서 온몸을 나풀거리며 열심히 쳐댔다. (칭찬의 힘이 이렇게나 큽니다. 다음 날 알 배김.)

한참을 치다 체력 저하로 다른 분께 넘기고 방으로 들어와 휴식을 취하는데 다른 방 환자분께서 달고나 라떼를 나눠주셔서 맛있게 마시고 살짝 잠이 들었다. 얼마 뒤 잠에서 깨니 침대에 예쁜 사과 하나가 놓여 있었는데 누가 주고 가신 건지 모르겠다.(감사해요.)

저녁에는 훈남 주치의 선생님과의 면담이 있는데 너무
세심하게 필요한 말들을 많이 해주시고 응원해 주셔서
병원 생활의 한줄기 빛 같은 존재가 되어주실 것 같다.

## 5. 군대에서 폭행을 당해 우울증에 걸린 군인

오늘도 역시 밤잠을 설치고 비몽사몽한 상태에서 이대로 안 되겠다 싶어 샤워를 하고 가볍게 스트레칭 후에 책을 펼쳤다. 50년 전 쓰인 카톨릭 교리 책인데 의외로 술술 공감하며 읽혔다. 여튼 책을 읽다 갑자기 잠이 와서 살짝 졸다 대기실로 나왔다. 대기실에 아무도 없길래 그림이나 그려볼까 하고 테이블에 앉아 긁적이고 있는데 군인 동생들 3명이 둘러싸 앉았다.(지난번 폐쇄로 갔던 그분도 다시 개방으로 왔는지 함께 앉았다.)

"와, 누나 그림 그리시네요." 하고 먼저 말 걸어주는 동생들이 고마웠고 그렇게 같이 앉아서 본격 수다 타임이 시작되었다. 각자 자연스레 이곳에 오게 된 이야기들을 나누며 서로 격한 공감과 함께 대화를 이어 나갔는데 내 인생 스토리를 들은 동생들은 화들짝 놀라며 "책에 나오는 이야기 같아요." 하며 놀란다.

내가 그들보다 힘들었을까? 난 절대 아니라고 생각한다. 세상엔 수많은 고통이 존재하고 각기 다른 성향의 사람들이 존재한다. 그러니 제발 내가 제일 힘들다고 다른 사람의 고통을 업신여기지 말자.

군인 친구들의 이야기를 들으며 입으로 몇 번이고 쌍욕이 나올 뻔 했는지 모른다.

머리채 잡혀 산으로 끌려가서 단체에게 구타당한 이야기, 카톡방에서 단체에게 인신공격 당한 이야기, 죽으려 베란다 앞에 섰다가 부모님 생각에 마음을 다잡았던 이야기……. 화가 나도 상대가 날 싫어하게 될까 봐 화도 못 내고 그저 웃어넘기다 우스운 사람처럼 되어 버린 이야기, 외로워서 그저 마음 나눌 친구가 필요했지만 사람을 믿을 수 없게 되었다는 이야기, 그러다 대인 기피증이 생겨 사람 많은 곳에 혼자 가면 식은 땀이 나서 힘들다는 이야기.

동생들의 이야기를 듣는데 이 말밖에 생각이 안 났다.

*"너희 정말 강하구나. 대단하다."*

그리곤 한참을 대화를 나누다 점심 시간이 되어 각자 방으로 돌아왔다. 아마 조금 뒤부터 2탄이 시작될 것 같다.

## 6. 룸메이트의 자살로 우울증에 걸리다.

병원 생활에 어느 정도 적응이 되고 병실 안에서의 생활이 편하긴 하지만 일부러 대기실로 나가는 시간을 늘리고 있다. 밝고 어린 소녀들은 퇴원을 했고 약간의 적막함이 흐르는 병동에서 나는 웬 오지랖인지 그리 텐션이 높지 않은 성격이지만 일부러 사람들에게 더 말도 걸고 분위기를 좀 바꿔보려 나름의 액션을 취해 본다.

테이블에 앉아 있으니 군인 동생들이 우르르 모여든다. 그러다 갑자기 내 나이가 공개되면서 다들 기막힌 리액션으로 칭찬 세례를 퍼부어준다. 여기부턴 내 자랑이니 안 보실 분은 넘기셔도 된다.

"와, 누나 20대 중후반인 줄 알았어요."
"쌩얼인데 너무 예쁘세요. 눈이 예쁘세요."
"아들도 귀여울 것 같아요."
재수 없는 거 알지만 자랑하고 싶었다.
(군인이라 띄워 주는 거 나도 안다.)

조카뻘 되는 군인 동생들과 쉬면서 수다도 떨고 탁구 시합도 하고 40대의 밝은 여성 환자분과도 이런저런 이야기를 나누며 모두 '내가 여기 올 줄은 몰랐다' 하며 공감을 나눈다. 이분은 같이 살던 제일 친한 룸메의 갑작스런 자살과 여러 사정으로 우울증이 심해져서 오게 되었다고 한다. 겉으로는 참 밝아 보이는데 어딘가 근심이 가득한 모습을 내비친다.

친한 사람의 자살을 경험하고 깊은 상실감과 우울감에 결국 마음의 병을 얻게 된 언니가 아무쪼록 애도의 시간을 잘 넘기고 잘 회복되면 좋겠다.

# 7. 분노 조절 장애 군인과 큐티를 하기로 하다.

이 친구로 말할 것 같으면… 병원에 온 첫날 어린 여학생에게 "넌 크리스천인데 성경은 몇 번이나 읽었냐? 그것도 안 읽고 어떻게 하나님을 믿는다고 할 수 있냐." 등의 발언을 하며 여학생을 주눅 들게 만들며 대기실에서 군림했다. 사실 병실에서 소리만 듣다가 화가 나서 잠시 나가 "형제님, 잠시 저 좀 보시죠." 하고 싶었지만 첫날이라 말을 삼키고 지나갔다.

이 동생은 둘째 날 물건을 던지며 분노를 표출하던 그 군인인데 평소엔 말투도 침착하고 이성적인 듯 행동하지만 '자기 옳음'이 굉장히 강해 보였고 그게 받아들여지지 않을 때 분노를 참지 못하는 듯했다.

조금 전 대기실에서 성경을 보는데 그 동생이 옆에서 자전거를 탄다. 대화를 나눠보고 싶어 어깨를 살짝 치며 부르니 놀란 듯 바라본다. 지난 사건이 생각나 조심스레 신앙생활에 대해 물어보았다.
"군 생활 하는 곳에 교회가 없어서 예배랑 단절된 지 오래됐어요. 영적으로 침체되니 담배도 더 피게 되고 자꾸 마음이 휘청거려요."

"혹시 괜찮으면 저랑 20~30분 같이 얘기 나누고 큐티하고 기도하고 그러면 어때요? 강요하는 건 아니고 마음이 가면요."

"전 좋아요. 여기 성경책도 가져왔어요. 예전에 큐티를 해봐서 부담되거나 그렇진 않아요."

긍정적인 대답에 왜인지 마음이 들떴다. 우선 나에게도 필요한 시간이었고 그 군인분께도 분명 필요할 거란 마음에 그랬던 것 같다.

17

## 8. 불안감에 잠들지 못하는 군인 동생

짧은 대화를 마치고 마저 성경을 읽고 있는데 뒤에서
누가 툭툭 어깨를 친다. 또 다른 군인 동생이다.

"누나 뭐 봐요?"
"성경 책. 교회 가 본 적 있어?"
"네, 중학교 때요."
그리곤 땅이 꺼질 듯 한숨을 푹 내쉰다.
"왜, 무슨 일 있어?"
"잠에서 자꾸 깨요. 오늘도 새벽 4시에 일어났어요.
자꾸 뭔가 걱정되고 불안해요."

내 코가 석 자지만 조금씩 호전되고 있어서 몇 가지
정보를 나눈다.

"우리가 걱정하는 것 중에 실제 일어나는 일은 1%정
도고 자잘하게 일어날 순 있지만 그건 우리가 감당 가
능한 수준이래. 그리고 침실에선 가급적 잠만 청해야
하고, 핸드폰이나 책을 보면 수면에 도움이 안 된대.
자기 전엔 가급적 운동도 하지 말고.(주치의 선생님 말씀 그대로 복사, 붙여넣기) 이거 수면에 대한 거랑 불안, 고통에 대해 정리해둔 건데 가서 읽어 봐."

보통은 이제 하루가 시작되는 시간인데 병동의 하루는 새벽부터라 그런지 더디게 느껴진다. 오늘 하루도 잘 지내봐야지.


*"난 이곳이 마음에 든다."*

# 수면 장애에 도움이 되는 방법

1. 규칙적인 수면 습관을 유지하세요.
2. 같은 시간에 잠자리에 들고, 같은 시간에 일어나세요.
3. 잠자리에 들기 전에는 카페인, 알코올, 담배를 피하세요.
4. 잠자리에 들기 전에는 과식이나 폭식하지 마세요.
5. 잠자리에 들기 전에는 격렬한 운동을 피하세요.
6. 잠자리에 들기 전에는 편안한 환경을 조성하세요.
7. 침실은 어둡고, 조용하고, 시원해야 합니다.
8. 잠들기 어려우면 침대에서 일어나 조용한 활동을 하다가 다시 잠자리에 드세요.
9. 수면제의 도움을 받는 것도 고려하세요. 수면 장애가 심한 경우 수면제를 복용하는 것도 도움이 될 수 있습니다.

여러 노력에도 수면 장애가 3주 이상 지속된다면 병원을 방문하여 진료를 받는 것이 좋습니다.

# 수면 장애를 예방하기 위한 생활 습관

1. 규칙적인 운동을 하세요. 하루에 30분 이상 중간 강도의 유산소 운동을 하세요.
2. 건강한 식단을 섭취하세요. 탄수화물, 단백질, 지방을 골고루 섭취하세요.
3. 충분한 수분을 섭취하세요. 하루에 8잔 이상의 물을 마시세요.
4. 스트레스를 관리하세요. 요가, 운동 등의 방법으로 스트레스를 관리하세요.
5. 충분한 휴식을 취하세요. 하루에 7~8시간의 수면을 취하세요.


수면 장애는 일상생활에 많은 불편을 초래할 수 있습니다. 규칙적인 수면 습관과 건강한 생활 습관을 통해 수면 장애를 예방하고, 수면의 질을 높이도록 노력하세요.

## 9. 저는 제 피가 예뻐요, 조현병 헤어 디자이너

처음 보는 소녀가 폐쇄 병동에서 개방 병동으로 옮겨
왔다. 아주 마른 몸에 힘이 조금 없어 보였지만 밝은
얼굴로 다른 환자와 오목을 두던 모습을 보고 '예전보
다 호전이 되어서 왔구나.' 하고 지나쳤는데 조금 지나
서 병동이 술렁였다. 무슨 일인가 싶어 물어보니 그 소
녀가 마스크 코 부분에 있는 철을 빼서 손목에 자해를
한 것이다.

마침 소녀는 내 앞을 지나가고 있었고 나도 모르게 붙
잡아 "상처 좀 봐요." 하고 말을 걸었다. 갈기갈기 찢
겨 피가 나는 손목을 보는데 소녀는 해맑게 웃는다.

"왜 자해한 거예요?"라고 묻자
*"외로워서요⋯⋯."* 라고 대답한다.

순간 다른 말이 떠오르지 않아 두 팔을 벌리니 와서
폭 안긴다.

한창 예쁜 나이인데⋯⋯.

"빨리 가서 처치부터 받고 와요."

그렇게 소녀를 보내고 마음 한편이 무거워졌다. 나도 공황 발작으로 숨이 쉬어지지 않아 자해를 해봤기 때문에 조금은 그 마음을 이해할 수 있었다.

## 10. 매일 먹고 토하는 학폭 피해 여고생

저녁 식사 후 화장실에서 양치를 하는데 한쪽에서 아주 심한 구토 소리가 들린다. 너무 심하게 토를 해서 문을 두드리며 "괜찮아요…? 등 좀 두들겨 줄게요."라고 물으니 "아니요. 괜찮아요."라고 말하며 오랜 시간 동안 구토를 하다 나온다.

누군가 했더니 16살 학폭 피해자 여학생이었다.
"좀 괜찮아요? 물 좀 줄까요…?" 하며 등을 쓰다듬는데 연신 괜찮다고만 한다.

순간 내 모습이 겹쳐져서 학생에게 말했다.

*"안 괜찮은데 괜찮다고 안 해도 돼요."*

내가 내 자신에게 들려주고 싶은 말이기도 한데 이렇게 누군가에게 말하니 마음이 좀 이상했다. 그렇게 하루가 저물어가고 6인실 병실로 옮긴 첫날이라 그런지 중간에 깨서 수면제를 추가로 더 먹고 간신히 잠이 들었다.

## 11. 친언니의 자살… 그리고 죽음에 대한 호기심

오늘은 자꾸 신경이 쓰여 어제 손목에 자해를 했던 소녀에게 말을 걸었다. 그리고 이런저런 대화를 하며 아프게 된 계기에 대해 듣게 되었다.

"저희 친언니가 저랑 나이 차이가 좀 나는데 언제부턴가 자해를 하고 우울해하다 제가 중학교 때 자살했어요. 그때부터 도와주지 못했다는 죄책감과 죽음에 대한 호기심이 생겼어요. 그래서 궁금했어요.
어떤 느낌인지…

자해를 시작하고 반복하다 보니 더 자극적인 방법을 찾게 됐구요. 피를 보면 기분이 좋아져요. 다른 사람 피는 무서운데 제 피는 예뻐 보여요."

"그렇구나. 나도 얼마 전에 숨이 안 쉬어져서 처음 자해를 했는데 너도 알겠지만 순간은 해소되는 듯하지만 아니더라고. 우리 의사 선생님이 가르쳐 주신 대로 그런 마음이 올라올 때는 그냥 찬물에 얼굴을 박자."

그리고 오늘따라 유난히 비실비실 기운이 없어 보여서 "나랑 탁구 한 번 치자." 하니 흔쾌히 응한다. 둘이 까르르거리며 탁구를 치다 보니 조금은 활력이 붙는 듯 싶었다. 헤어 디자이너 일을 했었다는 이 소녀는 조울 증과 조현병 등을 앓고 있는데 아무쪼록 트라우마와 죄책감에서 벗어나 건강한 일상을 되찾았으면 좋겠다.

## 12. 분노 조절 장애 군인 동생과의 큐티가 무산되다.

어제 함께 성경을 읽고 나누기로 한 동생이 급히 다른 병원으로 옮기게 되어 바로 오늘 충주로 이동하게 되었다. 말씀에 갈급함이 있던 친구라 아쉬움도 크고 어찌할까 고민하다가 노트에 기도문과 말씀을 적어서 전해주었다.

*"감사해요. 가서도 꼭 붙들게요."*

멋진 해병대 군복을 입은 모습은 매우 든든하고 믿음직스러웠다. 조금은 섭섭했지만 지금보다 나은 환경으로 간다니 다행이다.

## 13. 일본어 수업을 시작하다.

병원에서는 할 게 거의 없다 보니 다들 심심해하는 분위기다. 점심 식사 후 군인 동생 한 명이 일본어를 배우고 싶다고 말한다.

"내가 알려줄게!!!"

매사에 자신 없어 하고 무언가를 성취해본 적이 없다는 동생은 생각보다 적극적으로 수업에 잘 따라와 주었고 재미를 느끼는 듯 보였다. 나도 꼰대가 된 건지 동생에게 조언 아닌 조언을 했다.

"거창한 거 말고 네가 하고 싶은 것들을 적어본 다음에 거기서 가장 쉬운 것부터 성취해 봐. 그게 뭐든지."

오늘 저녁엔 또 어떤 일이 있을까?

약간의 기대와 함께 지금은 침대와 한 몸이 되어 쉼을 취하는 것으로 끝.

## 14. 너희들 참 대견하다. 잘 버텼어!

내가 있는 병동에는 10~20대 초중반의 젊고 어린 친구들이 많다. 물론 연세가 있으신 분들도 적잖이 계시지만 대부분 병실에 계시거나 티브이를 시청하신다. 여기에는 싹싹한 친구들이 많아 어른들께 먼저 먹을 것을 나누거나 도움을 드리려 하는 모습을 어렵지 않게 볼 수 있다. 하지만 밝은 모습 뒤에 극도의 불안과 우울감 속에서 널뛰기를 하는 이 청년들은 한 번 다운되기 시작하면 표정부터 목소리까지 꺼져가듯 순식간에 우울의 늪으로 들어간다. 모든 어른이 그렇진 않지만 그런 아이들을 보며 한마디를 꼭 보태는 어른들이 있다.

"나 때는 날아다녔어. 그거 다 별거 아니야."
"밥 좀 팍팍 먹고 움직여. 좀 쳐져 있지 말고."

물론 걱정과 위로의 말이란 걸 아이를 키우는 입장인 나는 알지만 아이들은 그저 '듣기 싫은 잔소리'로 받아들일 말들이다.

나의 20대 초반을 돌아보면 지독히도 그늘진 우울의 늪에서 허우적거렸던 기억이 난다. '어차피 내 마음은

31

아무도 몰라.'라고 생각하며 벽을 치고 컨트롤 되지 않는 마음을 안고 참 많이 아프고 힘들었다.

그래서 아이들에게 말해 줄 수 있다.

*"진짜 힘들겠다. 충분히 그럴 만해. 너 진짜 잘 버텼다."*

## 15. 29금 발언도 서슴없으신 치매 할머니

내 옆엔 치매로 들어오신 연로하신 할머니가 계신다. 사람들은 할머니의 반복되는 말씀과 행동이 귀찮은 듯 적당히 무시하며 넘긴다. 물론 나도 다 들어 드리다간 내 에너지가 소진될 것 같아 적당히 맞장구쳐 드리며 질문도 해드리곤 하는데 어느 날은 29금 야한 발언을 유쾌하게 하시며 껄껄껄 웃으신다.

여기 적을 순 없지만 나도 웃겨서 오랜만에 깔깔깔 웃었다. 며칠 전 할아버지가 허리를 다치셨다며 노심초사 걱정하시는 할머니는 본인도 거동이 불편하심에도 할아버지를 챙겨 드려야 한다는 마음이 앞서셔서 빠른 퇴원을 요구하신다. 다소 입은 거치시지만 사랑꾼인 귀여운 할머니, 내일이 퇴원이셔서 조금 섭섭하기도 하다.


*"부디 두 분 다 건강하시길!"*

## 16 .대기실에서 떼창을 부르다.

쉬는 시간에 잠시 컴퓨터를 하는데 친한 군인 동생이 옆에 앉는다.

"누나 뭐 해요?"
"잠깐 일 좀 보고 있었는데 집중이 잘 안 되네. 그만해 야겠다."

그리곤 앉아서 두런두런 수다를 떤다.
"아, 자꾸 우울하고 불안해요."

그리곤 또 한 친구가 옆에 앉는다.
"전 다이어트 강박이 있어서 제가 만족 못 하면
남들이 뭐라 해도 벗어나지지 않아요."

스스로를 못생겼다고 생각하는 이 친구는 군대에 간 뒤 여자 친구가 여러 명과 바람을 폈다는 사실을 알게 되면서 우울증이 오고 사람을 믿을 수 없게 되었다고 한다. (나이가 어느 정도 있는 사람들은 별거 아닌 일 이라 생각할 수 있지만 그 상황에 놓인 청년에겐 정말 힘든 시간일 거다.)

그렇게 셋이 이런저런 대화를 하다 스스로에 대한 '자책'에 대한 주제로 대화가 흘러가면서 잠시 신학도 모드 on.

"나도 때론 나를 자꾸 책망하고 탓할 때가 있는데 성경에서 그러더라. 우릴 만드신 하나님도 우릴 정죄하지 않으신다고 스스로 정죄하지 말라고."

그때 조현병과 우울증을 앓고 있는 소녀가 큰 인형을 껴안고 지나가길래 손짓하며 옆에 앉힌다. 지난 밤 자해한 곳을 볼펜으로 마구 그어 나서 상처가 더 깊어졌다. 매일 밥도 안 먹어서 삐쩍 마른 모습에 뭐라도 먹이고 싶은 마음에 오곡 쿠키를 건네니 다행히 맛있다며 잘 먹는다.

나를 포함 4명이 둘러앉아 대화를 하는데 나 빼곤 다들 목소리가 개미 목소리 같다. 안 되겠다 싶어서 뜬금없지만 노래를 부르자고 제안했다.

"너희 요즘 어떤 노래 들어?"
제목은 그새 까먹었는데 듣고 싶다는 노래를 틀어주며 다 같이 흥얼흥얼 노래를 한다.
"야다의 이미 슬픈 사랑을 신청하길래 깜짝!

이 노래를 안다고?"

40대 언니도 합세해서 순식간에 대기실은 노래방이 되고 분위기도 한결 좋아졌다.
이런 게 음악의 힘인가…?

내일은 여러 명이 퇴원하고 폐쇄 병동에서 새로운 분들이 넘어 오실 듯 싶다.

*"어떤 아픔을 지고 오실까…?"*

# 강박증 체크 리스트

다음과 같은 강박 사고나 강박 행동이 1주일에 1회 이상 발생하고, 일상생활에 지장을 준다면 강박증을 의심해볼 수 있습니다.

아래와 같은 강박증 증상이 6개월 이상 지속된다면 전문의의 진료를 받는 것이 좋습니다.

## 강박증의 종류

**청결 강박증:** 손을 씻거나, 물건을 정리하는 등의 행동을 반복적으로 한다.
**순서 강박증:** 모든 일을 특정한 순서로 해야 한다.
**사고 강박증:** 나쁜 일이 일어날 것이라는 생각이 반복적으로 떠오른다.
**집착 강박증:** 특정 사물이 완벽하지 않다는 생각이 들면 반복적으로 확인한다.
**저장 강박증:** 불필요한 물건을 버리지 못한다.

강박증은 치료가 가능한 질환입니다. 약물 치료, 인지 행동 치료 등의 다양한 치료 방법이 있습니다.

# 조현병이란?

조현병은 망상, 환각, 와해된 사고와 언어, 기이하고 부적절한 행동과 같은 정신병 증상이 나타나는 정신 질환입니다. 조현병은 100명 중 1명꼴로 발생하는 흔한 질환이며, 전 세계적으로 약 2,400만 명이 조현병으로 고통받고 있습니다. 조현병의 원인은 명확하게 밝혀지지 않았지만, 유전적 요인, 환경적 요인, 뇌의 신경 전달 물질의 이상 등이 복합적으로 작용하는 것으로 알려져 있습니다.

## 조현병의 증상

**망상:** 실제 존재하지 않는 것을 믿는 것. 예를 들어, 자신이 감시당하고 있다고 믿거나, 자신을 특별한 존재라고 믿는 것 등이 있습니다.
**환각:** 실제로 존재하지 않는 것을 보는 것, 듣는 것, 느끼는 것. 예를 들어, 목소리를 듣거나, 환각을 보는 것 등이 있습니다.
**와해된 사고와 언어:** 생각과 언어가 논리적이지 않고,

이해하기 어렵게 되는 것. 말을 중간에 끊거나, 의미 없는 말을 하는 것 등이 있습니다.

**기이하고 부적절한 행동과 감정 표현:** 사회적으로 적절하지 않은 행동을 하거나, 감정을 표현하는 것. 예를 들어, 웃거나, 울거나, 화를 내는 등의 행동을 아무 이유 없이 하는 것 등이 있습니다.

조현병은 치료가 가능한 질환입니다. 약물 치료, 정신 치료, 사회 재활 등의 다양한 치료 방법이 있습니다.

## 17. 애착 인형과 소녀들

병원에 온 첫날, 병실에 들어가기 전 병실 모습이 슬쩍 보였는데 분명 다 큰 청년이 큰 인형을 어깨에 업고 신나게 뛰어 다니는 모습이 보였다.

티브이에서 보던 정신병자의 모습이 그대로 그려져 신기함과 궁금증을 안고 들어왔는데 나와 같은 방을 쓰는 24살 의대생이었다.

알고 보니 애착 인형이라며 항상 들고 다닌다고 했다. 이 친구뿐만 아니라 또 다른 24살 헤어 디자이너 동생도, 오늘 내 옆으로 병실을 옮긴 18살 국제 학교에 다니는 소녀도 다들 큰 애착 인형을 가지고 다닌다.

처음엔 머리에 꽃 달고 룰루랄라 하는 친구들인가 했는데 다들 똑똑하고 재능 많은 친구들이었다.

*하지만 늘 불안과 우울함으로 스스로를 컨트롤 하지 못해 괴로워 보인다.*

## 18. 18세 소녀의 난도질된 손과 발

오늘 폐쇄 병동에서 개방으로 넘어 온 18세 소녀는 제일 먼저 핸드폰을 다시 사용할 수 있게 된 것에 연신 기뻐하며 핸드폰을 살핀다.

그러다 함께 복도를 걸으며 운동을 하게 됐는데 손목이 자해 흔적들로 난도질이 되어 있었다. 또 다리에도 자해 흔적이 가득하다.

"처음 자해를 한 계기가 뭐야?"

"엄마랑 싸워서요. 너무 화가 났는데 엄마를 해할 수 없어서 자해를 했어요."

국제 학교에 다니며 공부만 하다 허리도 망가지고 여러 가지 스트레스로 우울증이 왔다고 한다. 아직 더 깊은 대화는 나누지 못했지만 그저 이야기를 들으며 공감하며 말한다.

"나도 그랬어. 분명 화가 났는데 정작 상대한테 화내지 못하고 내 자신을 해하게 되더라."

이제 나도 그러지 않으려 다짐에 다짐을 더한다.

지금까지 나는 내 감정을 소중히 다루지 못했다.

기쁨이든 슬픔이든 두려움이든 분노든 나에게 쏟아내지 말고 건강하게 분출하는 훈련을 해야겠다.

*"우리 같이 그렇게 하자, 얘들아."*

## 19. 우리네 어머님들의 우울증과 불안

퇴원하는 사람들이 늘면서 새로이 폐쇄에서 개방으로 넘어오신 어머님들이 계신다.

다들 짬이 있으셔서 약 이름이며 성분 효과까지 꿰뚫고 계신다. 보통 10년 이상 약을 복용하신 고수분들이다. 의도치 않게 같은 병실이라 통화하는 소리를 듣게 되는데 지인들에게 솔직하게 말하지 않으신다.

"그냥 좀 몸이 안 좋아서 병원에 있어."

'정신 병원'이라는 말이 어쩌면 우리 세대보다 더 좋지 않은 시선으로 느껴질 수 있기에 그러신 것 같다. 평소 대화를 하실 때는 다들 밝으시고 즐겁게 대화를 하시는 듯 보이지만 자세히 보니 두 분 모두 손가락을 뜯거나 양손을 부비적거리며 무의식적으로 불안함을 드러내신다.

나도 공황 이후 무의식적으로 손을 깨물어 이빨 자국들로 가득했기 때문에 그게 잠시나마 불안을 잠재우는 행동이라는 걸 알고 있다. 다행히 나의 경우는 병원에 온 뒤로 그 행동이 사라졌다.(의사 선생님 말씀으론 어

린 아이들이 불안할 때 손을 빨며 안정감을 느끼는 것
과 비슷한 행동이라 하셨다.)

## 20. 폐쇄 병동을 그리워하는 사람들

폐쇄에서 생활하다 호전되어 개방으로 넘어 온 분들 중 적잖은 분들이 다시 폐쇄로 가고 싶어 하신다. 특히 젊은 친구들이 그렇길래 이유를 물어보니

"저기선 핸드폰 사용이 안 돼서 같이 수다 떨고 그림도 그리고 피아노도 치고 탁구도 치면서 시간을 보내다 보니 더 끈끈해져서 저기가 더 즐거워요."라고 말한다.

잠시 핸드폰 없던 어린 시절이 떠올랐다.

*"아, 그랬지. 그땐 그랬지…."*

## 21. 코로나 확진자가 나오다.

어제 오후부터 병실 분위기가 심상치 않다. 선생님들은 모두 완전 무장 상태로 환자들에게 나오지 말고 병실 안에만 있으라며 마스크 사용을 더 엄격하게 주의시키신다. 입원 전에 당연히 코로나 검사를 하지만 간혹 다른 검사 때문에 외부 사람들과의 접촉을 완전히 피할 수 없기에 감염이 불가능한 상황은 아니다.

차례차례 코로나 검사를 하고 다행히 모두 음성이 나왔지만 잠복기가 있을 수 있어 여전히 자유롭지 못한 병실 생활을 하고 있다.
적막하고 조용한 분위기 속에서 답답함을 견디지 못해 안정제를 먹는 친구들도 있고 어르신들은 계속 불평을 하시며 마스크 착용을 제대로 안 하셔서 주의를 당하신다.

밖이 너무 궁금하고 나가고 싶은 어린 소녀들은 문 앞을 기웃거리며 몰래 밖을 살피는데 그 뒷모습이 너무 귀엽다. 앞으로 중간중간 코로나 검사를 받을 거라는데 콧구멍 여러 번 찔리게 생겼다. 나가서 컴퓨터도 하고 운동도 하고 싶은데 할 게 없으니 다들 식사 후 취침 중이다. 빨리 다시 자유가 오길…

# ep. 정신 병동에서만 경험할 수 있는 것

1. 식후 약을 나눠 주는데 먹고 아~ 하고 다 먹었는지 입안을 확인한다.
2. 밤 9시가 되면 마지막 약을 주는데 그 약으로 모두 재워 버린다.
3. 환자가 도망칠 수 있어서 다른 검사를 하러 이동시 누군가 꼭 함께 간다.
4. 자해, 자살 등의 대화가 아무렇지도 않게 오가며 서로 방법을 공유하기도 한다.
5. 약 기운에 말이 어눌하거나 쳐지는 사람들이 많다.
6. 밥은 얼마나 먹었는지, 변은 봤는지, 체중 변화는 없는지 늘 체크한다.
7. 개방에서 사고 치면 폐쇄로 넘어간다.(문 하나 차이)
8. 기본적으로 선생님들 모두 친절하다. 예민한 환자들도 많아서 잘못 건드렸다간 울거나 사고 치거나 분노할 수 있다.
9. 환자 중 많은 분들이 나처럼 맞는 약을 찾으러 온다.
10. 생각보다 분위기가 좋다. 지금까지 입원해 본 병원 중에 제일 마음에 든다.

\* 위 내용은 병원마다 다를 수 있다.

# 우리의 이야기

수고하고 무거운 짐 진 자들아 다 내게로 오라
내가 너희를 쉬게 하리라
나는 마음이 온유하고 겸손하니
나의 멍에를 메고 내게 배우라
그리하면 너희 마음이 쉼을 얻으리니
이는 내 멍에는 쉽고 내 짐은 가벼움이라 하시니라
(마태복음 11:28-30)

# 1. 누가 알아줄까 내 마음

누가 내 마음을 알아줄까라는 마음을 품으며 나는 스스로 벽을 쌓곤 했다. 내 마음속 깊은 곳에 감춰진 상처와 두려움을 다른 이가 이해할 수 있을 거라는 기대는 애초에 하지 않았다고 해야 할까?

하지만 매일매일 습관처럼 정신 병동의 복도를 걸을 때마다 저마다의 이야기를 가진 사람들과 마주치면서 그 벽이 조금씩 허물어지는 것을 느꼈다.
그리고 누군가 내 마음을 알아주길 바라는 게 아니라 내 스스로가 내 마음을 가장 알아줘야 한다는 걸 아주 조금은 배운 것 같다.

공황 장애는 이제 내 삶의 한 부분이 되었다. 부정하기보다는 그저 받아들이며 어떻게 하면 이 친구와 같이 잘 살아갈 수 있을까를 고민한다. 그리고 '나음'에 집중하기보다 '그럼에도 불구하고 하루를 잘 살아내는 것'이 내가 가져야 하는 마음이라는 걸 받아들이니 한결 마음이 편해졌다.

'이제는 알아주지 않아도 괜찮다.'라고 내가 나를 잘

토닥여 주는 연습을 한다.

또 비슷한 아픔을 가진 사람들과 그것들을 나누며 치유를 경험하기도 하고 때로는 나의 아픔이 누군가에게 위로가 되는 경험을 하며 나의 병에 매몰되지 않기로 작정한다. 우리 같이 그렇게 살아내 보면 좋겠다.

*"알아주지 않아도 괜찮아."*

## 2. 먼저 손을 내미는 용기

우리는 종종 스스로를 고립된 섬으로 착각하곤 한다.
마치 무인도에 홀로 남겨진 것처럼 주위에서 도움의
손길이 닿지 않을 것만 같은 느낌에 사로잡히기도 한
다. 하지만 사실은 그렇지 않을 때가 훨씬 많다. 가만
히 둘러보면 우리 주변에는 수많은 배들이 있고 기꺼
이 도움의 손길을 주겠노라고 우리가 손을 내밀기만을
기다리고 있는 사람들이 있다.

다만 방법을 모르고 조심스러워서 선뜻 다가오지 못할
뿐 도움을 청하는 것은 나약하고 부끄러운 모습이 아
니라 반대로 용기 있는 모습이라는 걸 기억하자.

혼자 짊어지기에 삶이 무거워 금방이라도 나를 놔버리
고 싶은 순간들이 온다면 그냥 한마디 입 밖으로 뱉어
보자.
"저 좀 도와주세요. 혼자서는 도저히 안 되겠어요."
이 말은 실제로 내가 작은 언니에게 했던 말이기도 하
다.

"언니, 나 회복하고 싶어. 근데 혼자서는 도저히 안 되
는데 나 좀 도와줘."

그때 언니가 울면서 해줬던 대답이 나를 살렸다고 해
도 과언이 아니다.

"네가 다른 복은 없어도 언니 복은 있게 해줄게."

가족이 아니라도, 친한 지인이 아니라도, 누구라도 괜
찮다. 손을 내밀어 보자. 그리고 언젠가 당신에게 누군
가 손 내민다면 기꺼이 그 손을 잡아주자. 그럼 되는
거다.

## 3. 어설픈 조언보다 그저 경청

우리는 '위로'라는 명목 아래 어설픈 조언을 건네곤 한다. 특히 "나도 다 겪어봐서 알아. 나는 더 심했어."라고 말하며 나의 경험이 전부인 양 이야기한다. '내가 더 힘들었어.'라는 마음을 잔인한 위로로 둔갑시키곤 한다.

물론 좋은 의도로 말하는 경우도 있지만 때로는 그런 말들이 오히려 상처가 될 수 있다. 아픈 이들이 진정 원하는 건 그저 묵묵히 자신의 이야기를 들어주고 함께 공감하며 울어 주는 것일지도 모른다.

*"진심이 담긴 '경청'의 힘은 백 마디 말보다 강력하다."*

다른 이의 고통을 이해한다는 것은 마치 똑같은 별을 보면서도 저마다 다른 우주를 바라보는 것과 같다. 어떤 말을 해야 할지 모르겠다면 가만히 마음 담아 이야기를 들어보자. 그것만으로도 충분히 큰 힘이 되어 줄 수 있다.말하는 사람도 사실은 알고 있다.

다른 사람이 답을 내려 줄 수 없다는 걸.

아픈 가족을 둔 가족의 마음

"To us, family means putting your arms around
each other and being there."
우리에게 가족이란 서로를 끌어안고
그곳에 함께 있는 것을 의미한다.
(Barbara Bush)

# 1. 지켜보는 가족의 아픔

어느 날 나는 친한 동생으로부터 전화를 받았다. 동생의 목소리는 무거웠고 고민이 많은 듯한 느낌이었다. 동생의 아버님이 우울증으로 힘들어하고 있었기 때문인데 이야기를 들으며 환자의 곁을 지키는 가족의 존재의 깊이와 그들이 겪는 숨겨진 고통에 대해 다시 한번 생각하게 되었다.

환자의 고통은 명확하고 눈에 띄지만 옆에 있는 가족들의 아픔은 종종 묻혀버린다. 환자가 되면 자신의 고통에 사로잡혀 가족들의 희생과 힘든 마음을 헤아리기가 쉽지 않다.

환자의 여정은 혼자만의 것이 아니다. 그 고통은 가족에게도 큰 영향을 미치며 때로는 가족들에게 부담을 안겨주기도 한다.

나의 아픔에 매몰되어 있는 동안 가족들이 어떤 마음으로 살아가고 있는지 당장은 눈에 보이지 않겠지만 이 마음은 잊지 않았으면 좋겠다.

'나를 얼마나 사랑하고 지키고 싶어 하는지.'

나 때문에 사랑하는 사람들이 함께 고통을 받고 있다
는 생각에 '**자책**'을 하라는 것이 아니라 내가 얼마나
사랑받고 있는지에 대한 '**감사의 마음**'을 반드시 놓쳐
서는 안 된다는 걸 꼭 말해주고 싶다.

감사의 마음이 서로를 지탱하는 엄청난 힘을 가지고
있다는 걸 믿어 의심치 말자.

## 2. 어떻게 도와줄 수 있을까?

'어떻게 도와줄 수 있을까?'라는 질문은 정신 질환을 앓고 있는 환자의 많은 가족들이 가지고 있는 공통된 고민이다. 이 질문에 답하기 위해서는 먼저 환자의 감정을 이해하려는 노력이 필요하다.

정신 질환을 가진 환자들은 종종 자신이 이해받지 못하고 고립되어 있다고 느끼는데 그래서 더욱 이들에게 필요한 건 무조건적인 사랑과 지지이다. 우선 환자의 감정을 인정하고 증상을 이해하는 것이 중요하다.

질환에 따라 어떤 충동적인 행동을 할지 알 수 없기 때문에 병에 대한 이해도가 높을수록 만약의 사태에 대비하기 좋다.

또 치료에 적극적으로 참여하도록 격려하고 믿어주는 것이 필요하다. 스스로를 컨트롤하는 힘을 잃은 경우가 많기 때문에 반드시 가족이나 주변의 도움이 절실하다.

환자뿐만 아니라 가족들 역시 자신의 감정과 스트레스를 잘 관리해야 하는데, 부정적인 건 더 빨리 흘러가기 때문이다. 많이 지치고 힘들 수 있는 내 마음도 잘 돌

봐주고 토닥여주자.

지금은 이 어두운 시간이 끝날 것 같지 않고 막막하겠지만 환자와 가족 모두가 호전될 수 있다는 마음을 가지고 함께 치료에 임한다면 증상 관리를 통해 일상으로 돌아오는 날이 온다는 걸 꼭 믿어야 한다. 긍정적인 태도를 유지하고 작은 성공도 격려하며 장기적인 관심을 가지고 기다려주자.

## 3. 내 마음을 돌보는 법

우리가 사랑하는 사람이 정신적인 어려움을 겪을 때
우리 자신의 마음을 함께 돌보는 것은 어쩌면 가장 중
요하다. 아래 몇 가지의 방법만으로도 마음 건강을 지
키는 데 도움이 되니 꼭 기억해두고 실행해 보자.

첫째, 자기 자신을 인정하고 사랑하는 것이 필요하다.
자신의 감정을 솔직하게 인정하고 필요한 경우 전문가
의 도움을 구하는 것도 방법이다. 스트레스를 받을 때
나를 위한 시간을 갖고 취미 활동이나 운동을 통해 경
직되어 있는 긴장을 풀어주는 게 도움이 된다.

둘째, 가까운 가족이나 친구들과의 교류를 유지하자.
대화는 감정적 지지를 제공할 뿐만 아니라, 다른 시각
을 줄 수 있는 중요한 요소이다. 비슷한 경험이 있는
사람이 있다면 정보를 나누고 위로를 받음으로써 부정
적 감정이 마음에 쌓이는 것을 예방할 수 있다.

셋째, 환자가 가지고 있는 질환에 대한 교육을 받아보
는 것도 좋다. 질환에 대해 더 많이 알게 되면 환자의
행동을 이해하고 적절히 대응하는 데 도움이 되기 때
문에 불필요한 오해와 갈등을 줄일 수 있다.

맞아 나, 정신병자

"자신의 감정을 이해하고
받아들이는 것이 첫 걸음이다."

# 1. 사람들의 시선

정신적인 질환을 가지고 있는 사람들에 대한 사회의 시선은 다양하다. 예전에 비해 미디어나 여러 매체에서 정신 질환에 대해 오픈하는 현상이 많아지면서 인식 변화가 되고 있는 것은 사실이지만 여전히 오해와 편견은 어쩔 수 없다. 나조차도 내가 경험해보지 못한 질환에 대해서는 무지하기 때문에 온전히 공감하지 못할 뿐만 아니라 한편으로는 어떤 선입견이 자리 잡혀 있기도 하니 말이다.

특히 사회에서 정신 질환에 대해서는 그 어려움을 간과하거나 과소 평가하는 경향이 있다. 누군가는 멘탈이 약하다고 생각하거나 무언가 문제가 있는 사람으로 낙인을 찍고 바라보기도 한다. 이러한 시선 때문에 학교나 직장, 가족들에게조차 자신이 아프다는 사실을 밝히지 못하고 가면을 쓰고 살아가는 사람들이 많다.

나 역시 병원에 입원하기 전 많은 시간을 고민하고 또 고민했다. **'정신 병원에 입원한 적이 있는 사람'**이 된다는 것 자체만으로도 굉장히 문제가 있는 사람처럼 여겨질 것 같았기 때문이다. 하지만 그러한 시선보다 중요한 건 앞으로 더 나은 삶을 살기 위한 용기를 내는 것이었기에 내 발로 정신 병원에 들어가게 되었다.

돌아보면 내 인생에서 손에 꼽힐 만큼 잘한 선택이었다고 생각한다. 증상도 많이 호전되고 그 뒤로 확연히 더 나은 삶을 살고 있기 때문이다.
누군가 이미 어떠한 치료로도 호전되지 않는 상황에서 정신 병동의 입원만은 피하고 싶어 망설이고 있다면 용기를 내 앞으로 자신의 삶을 긍정적으로 그려 가는 것에 집중하라고 말하고 싶다.

*"사람들은 남의 이야기를 하는 걸 좋아하지만 역설적이게도 내가 생각하는 것만큼 사람들은 타인에게 관심이 없다."*

## 2. 가해자와 피해자 그 어딘가

정신 질환을 가진 환자들의 삶은 단순히 병을 앓고 있는 것 이상의 의미를 가진다. 질환의 증상에 따라 오해와 편견의 대상이 되기도 하고 때로는 가해자로, 때로는 피해자로 존재한다는 복잡한 현실 속에 뒤엉켜 있다.

내가 정신 병동에 입원했을 때 만났던 환자들 중 많은 이들은 자신의 행동으로 가족이나 누군가에게 상처를 줬다고 말하며 자신의 병이 타인에게 끼치는 영향에 대해 늘 죄책감을 가지고 있었다.

하지만 병의 발단은 대부분 가정 내 폭력과 학교나 군대 등 어떤 집단에서의 학대 그리고 결핍으로 인해 정신적 문제를 겪게 되는 경우가 상당히 많았다.
모순적이게도 정신 질환을 가진 환자들은 누군가에게는 가해자가 되기도, 또 피해자가 되기도 하는 복합적인 존재라는 사실이다

가해자라는 '죄책감'
피해자라는 '자기 연민'

여기에 매몰되지 말자. 모든 인간은 가해자와 피해자
그 어딘가에 존재할 수밖에 없다는 사실을 받아들이자.

## 3. 인식의 변화

입원했을 당시 다양한 사람들의 이야기를 들으며, 이들 각각은 자신만의 고유한 배경과 경험을 가지고 있고 내가 생각하는 것 이상의 다양한 삶이 있다는 시야를 가질 수 있게 되었다.

과거에 비해 정신 질환을 가진 사람들에 대한 인식이 점점 더 개방적이고 긍정적인 방향으로 변화하고 있다는 건 분명하다. 다양한 미디어와 캠페인 등을 통해 정신 질환이 자연스럽게 노출되면서 지식과 이해도가 높아졌기 때문이다.

그래서인지 불과 10여년 전에 비해 요즘 정신과에는 사람들이 바글바글하다. 사람들은 이제 단순히 '미친 사람' 혹은 '이상한 사람'이라고 문제 삼으며 손가락질 하지 않는다.

예전에 비해 뇌의 질환, 호르몬의 영향, 어떠한 힘든 환경으로 인한 하나의 건강 문제로 생각하는 사람들이 늘어가고 있다.

하지만 여전히 많은 도전 과제가 존재한다. 정신 질환

을 가진 사람들을 둘러싼 편견을 없애고, 이들이 자신의 질환을 숨기지 않고 당당하게 치료 받을 수 있는 환경을 만드는 데 더 많은 노력을 기울여야 한다.

환우들은 단지 질병을 가진 사람들일 뿐이다.

*"그들의 가치나 인간으로서의 존엄성이 손상되어서는 안 된다."*

## 4. 무엇을 위해 사는가

살다 보면 삶에서의 방향을 잃는 시간들이 오기도 한다. 특히 자신이 그 어디에도 소속되어 있지 않다고 느낄 때, 스스로를 무가치하게 여기기 쉽다. 병원에서 만난 사람들 외에도 많은 사람들이 소속감의 결여로 인해 자신의 존재 가치를 잃어버렸다고 느끼거나 그로 인해 자존감이 떨어져 스스로를 바닥으로 끌고 내려가는 경우를 적지 않게 볼 수 있었다.

누군가 말했다. "전 어디에도 속하지 않는 것 같아요. 제가 누구인지, 왜 살아야 되는지도 잘 모르겠어요." 이 말은 많은 이들의 마음을 대변하는 것 같았다.

사람은 누군가에게 인정받고, 필요한 존재라 느낄 때 그것으로 자신의 가치를 실감하곤 한다.

그저 듣기 좋은 말로 들릴지 모르지만 소속감이라는 건 **'자신이 자신에게 먼저 소속'**되었을 때 타인의 인정이나 어떠함에 휘둘리지 않을 수 있다.

무언가를 하기 때문에 내가 존재할 가치가 있는 게 아니라 존재만으로도 이미 충분하다고 스스로에게 말해

주자. 또 타인과 비교하고 낙심할 시간에 가만히 자신의 내면을 들여다보는 시간을 가지다 보면 어느새 손가락은 타인이 아닌 나에게로 향한다.

'무엇을 위해 사는가'라는 질문은 던져 버리고 내가 무엇을 좋아하고 무엇을 싫어하는지 자신에 대해 먼저 통찰해 보자.

정신 병동에서 만난 사람들은 각자의 특별함과 고유의 내면 세계를 가지고 있었다. 조금은 별나 보여도 그럼 좀 어떤가? 그게 난데!

*"나부터 나를 이해하고 인정하며 토닥여보자!"*

## 5. 상처와 결핍의 악순환

모든 인간은 상처와 결핍을 가지고 있다. 그런데 상처와 결핍은 나쁘기만 한 걸까? 그렇지 않다.

많은 사람들은 자신이 상처받았다고 또 다른 타인을 찌르지만 관점을 바꿔 다른 시각으로 상처를 바라보는 사람은 자신의 상처를 누군가를 위로하고 치유하는 데 사용하기도 한다.

똑같은 상처와 결핍이 있어도 어떻게 받아들이느냐에 따라 전혀 다른 결과로 이어진다.

상처를 받으면 괴롭고 아프다.
결핍이 있으면 또 다른 무언가로 채우려다가 도리어 허무함만 더 키우기도 한다.

상처와 결핍을 바라보는 시각을 넓혀 오히려 나를 성장시키는 무기로 사용해보자.

물론 쉽지 않은 과정을 거쳐야 하지만 평생을 끊어내지 못하고 허우적거리며 우물 안 개구리로 살아간다면 삶이 너무 아깝지 않은가?

잘난 척 이야기하는 나도 여전히 몸부림치는 가운데 있지만 그럼에도 불구하고 나의 상처가 누군가에게는 위로가 되고 용기가 될 것이라 믿는다. 나의 결핍이 무엇인지 정면으로 부딪혀 제대로 바라보고 이해해야 타인을 찌르지 않고 대물림되지 않는다.

*"악순환의 고리를 끊어낼 수 있도록*
*피하지 말고 정면으로 돌파하자."*

# 나의 회복의 여정

퇴원 후 이제 2년이 되어간다. 정신 병동의 창가에서 바라보던 희미한 햇살이 이제는 내 방의 창문을 밝힌다. 병동에서의 시간은 내게 삶의 새로운 의미를 부여했다. 병과의 싸움은 여전하지만, 이제는 더 이상 병으로 나를 규정하지 않는다. 매일 아침과 저녁, 소량의 약을 삼키며 그저 건강식품을 먹듯 일상의 일부가 되어 어떠한 큰 의미를 부여하지 않는다.

공황 장애의 파도가 때때로 나를 덮칠 때마다, 나는 한 걸음 물러서서 바라본다. 두려움과 불안은 여전히 내 영혼의 일부이지만, 이제 그것을 이해하고, 조금씩 조절할 수 있다. 약은 그저 도구일 뿐, 진정한 치유는 내 안에서 시작된다.

나는 이 이야기가 누군가에게 위안이 될 수 있기를 기대한다. 이 책의 주인공은 나 자신이기도 우리의 이웃이기도 하다.

나는 완전히 회복되지 않았다. 아직도 길은 멀고, 때로는 다시 넘어질지도 모른다. 하지만 괜찮다.

*다시 일어나 걸음마부터 시작하면 되니까!*

나에게 사과하다

오랜 시간 동안, 나는 나 자신을 소중히 여기지 못했다. '자신을 사랑하라'는 말은 수없이 들었지만, 그 구체적인 방법은 알지 못했다. 내 감정을 억누르고, 내 몸을 함부로 대하는 것이 일상이 되어버렸다. 이런 행동들은 나를 더욱 깊은 절망으로 이끌었다.

퇴원 후 나는 내 자신에게 진심으로 사과했다. "미안해, 나를 너무 함부로 대했어." 조금은 오글거릴 수 있는 이 말을 두 손으로 나를 안아주며 매일 반복하고 반복했다.

말에는 힘이 있다. 작은 변화일지도 모르지만 이후부터 나는 내 감정과 몸을 소중히 여기기 시작했다.

자신을 사랑하는 법은 결코 단순하지 않다. 그것은 자기 자신을 깊이 이해하고, 용서하는 과정에서 시작된다. 우리는 완벽하지 않으며, 때로는 잘못된 선택을 한다. 하지만 그것이 우리의 가치를 줄이는 것은 아니다.

이제 나는 나의 감정을 더 이상 억누르지 않는다. 슬픔과 기쁨, 분노와 사랑, 모든 감정을 솔직하게 표현하려고 노력한다. 건강을 지키고, 적절한 휴식과 운동을 통해 몸을 돌본다.

누구나 자신을 사랑할 자격이 있으며, 그 사랑은 우리
내부에서 시작된다는 것을 기억하자.

치유의 여정은 목적지에 도달하는 것이 아니라,
그 길을 걸을 때마다 스스로를
발견하는 과정이다.
- 한상희 -